CW00841842

MWY O
JÔCS
y LOLfa

y Lolfa

I Rhodri, Bedwyr, Gwennan a Dyfan

Diolch yn fawr iawn i Meinir ac Alan
o'r Lolfa am osod trefn ar hwn i gyd,
ac i Luned ac Eos am chwerthin gyda fi bob dydd.

Argraffiad cyntaf: 2014

Dymuna'r cyhoeddwyr gydnabod cymorth ariannol
Cyngor Llyfrau Cymru.

Rhif Llyfr Rhyngwladol:
978 1 84771 976 8

Cyhoeddwyd, argraffwyd a rhwymwyd yng Nghymru
gan Y Lolfa Cyf., Talybont, Ceredigion SY24 5HE
e-bost ylolfa@ylolfa.com
gwefan www.ylolfa.com
ffôn (01970) 832 304
ffacs 832 782

Cynnwys

Croeso i *Mwy o Jôcs y LOLfa.*

Os brynaist ti'r llyfr yma, da iawn ti!

Os wnaeth dy fam roi'r llyfr i ti, rho *high-five* iddi am neud dewis mor wych. Mae'n well anrheg o lawer na XBox One neu PS4 neu Lego Death Star neu ryw rwtsh fel'na.

Os wyt ti'n darllen hwn mewn siop lyfrau, CER I BRYNU'R LLYFR NAWR, Y TREMPYN TSHEP!

Os wnest ti ddwyn y llyfr yma, ANLWCUS – mae yna *sensor* a deinameit (bach iawn iawn) yn y glud sy'n dal y tudalennau at ei gilydd, ac mae gen ti 10 eiliad cyn i ti gael dy droi yn JELI BLAS PERSON!

9… 8… 7…

Ac os oes gen TI jôc neu gartŵn ffantastig i rannu, cer amdani. Anfon nhw i jocs@huwaaron.com, a falle bydd dy jôc neu dy gartŵn di yn y llyfr nesa…

JOIA!

Huw

Anifeiliaid

Pa garw sy'n rhoi anrhegion adeg Nadolig?
Siôn Cyrn.

Pam aeth y mochyn i ysgol actio?
Roedd e eisiau bod yn Ham-let.

Ble roddodd y mochyn ei lythyr?
Mewn ham-len.

Pam gwympodd y mwnci mas o'r goeden?
Roedd e wedi marw.

Pam gwympodd y mwnci arall mas o'r goeden?
Roedd e wedi'i glymu i'r mwnci cyntaf.

Pam gwympodd yr eliffant mas o'r goeden?
Roedd e'n dynwared y mwnci!

Pam mae arth yn gwisgo cot ffwr?
Mae'n edrych yn ddwl mewn fest.

Sut mae godro llygoden?
Mae'n amhosib – mae'r
bwced yn rhy fawr.

Beth yw hoff liw defaid?
Meeeeeelyn.

Glywoch chi am y llygoden
welodd ystlum am y tro cyntaf?
Rhedodd adre a dweud wrth
ei fam ei fod wedi gweld angel.

Pan ddechreuodd y dylluan
yn yr ysgol, i ba ddosbarth aeth hi?
Dosbarth Deryn!

Sut mae pysgod
yn teithio i'r ysgol?
Ar yr octo-bws!

Pryd mae hi'n
ANlwcus i weld cath ddu?
Pan rydych chi'n llygoden!

PÊL-DROEDIO!

Cic Gornel

Pêl Sgwar

Cic Gosb

Capten y Tîm
Pêl Hir
Amddiffynnwr

Mr a Mrs Hoffus
(Cwpl sy'n gwneud hwyl am ben ei gilydd)

Mrs: Wyt ti'n gwybod beth mae pobl glyfar, cŵl a golygus yn neud yn ystod y pewythnos?
Mr: Na.
Mrs: O'n i'n gwybod fyddai gen ti ddim cliw!

Mrs: Mae dy drwyn mor hir, mae'n cyrraedd y stafell bum munud cyn gweddill dy gorff!

Mrs: Y tro dwetha welais i wyneb fel dy un di, tafles i fanana ato yn y sw!
Mr: Wel, pan est ti at y doctor, gofynnodd i ti agor dy geg a dweud "Mw"!

Mrs: Dwi'n gwylio fy mhwysau.
Mr: Wyt, eu gwylio'n codi!

Mrs: Ydy fy mhen-ôl i'n edrych yn fawr yn hwn?
Mr: Dy ben-ôl di yw hwnna? Ro'n i'n meddwl dy fod ti'n smyglo soffa yn dy drowsus!

Mrs: Sut galla i golli deg pwys mewn wythnos?
Mr: Torri dy ben i ffwrdd?

Mr: Mae dy wyneb di'n edrych fel un y Mona Lisa.
Mrs: Beth, gyda'i gwên brydferth, llawn dirgelwch?
Mr: Na – mae'n 500 mlwydd oed!

CNOC CNOC!

Cnoc cnoc!
Pwy sy 'na?
Tim.
Tim pwy?
Time bach o siocled?

Cnoc cnoc!
Pwy sy 'na?
Dan.
Dan pwy?
'Dan ni'n ffrindiau neu be?

Cnoc cnoc!
Pwy sy 'na?
Dwayne.
Dwayne pwy?
Dwayne aros i ti agor y drws!

Cnoc cnoc!
Pwy sy 'na?
Ann.
Ann pwy?
Anweledig, ydw i?

Cnoc cnoc!
Pwy sy 'na?
Ceri.
Ceri pwy?
Ceri nôl yr allwedd!

Cnoc cnoc!
Pwy sy 'na?
Rory.
Rory pwy?
Rho rif ffôn i fi 'te!

Cnoc cnoc!
Pwy sy 'na?
Pete?
Pete pwy?
Pitsa! Pitsa!

Y LLYFRGELL HANNER CALL 1

EliffantOD

Sut wyt ti'n gwybod bod eliffant yn y gwely gyda ti? Mae ganddo 'E' fawr ar ei bajamas.

Gofalwr y sw: Dwi wedi colli un o'r eliffantod.
Gofalwr 2: Pam na wnei di roi hysbyseb yn y papur?
Gofalwr 1: Paid â bod yn sili, dyw eliffantod ddim yn gallu darllen!

Beth sydd â chlustiau mawr a chroen glas?
Eliffant yn yr Arctig.

Beth sy'n fawr a llwyd ac yn dy amddiffyn rhag y glaw?
Ambareliffant.

Be sy'n llwyd ac yn mynd rownd a rownd?
Eliffant mewn peiriant golchi.

Sut wyt ti'n gwybod bod eliffant o dan dy wely? Mae dy drwyn yn cyffwrdd â'r nenfwd.

Beth sy'n fawr, yn llwyd, ac yn mynd lan a lawr? Eliffant ar drampolîn.

BETH SY'N FELYN AR Y TU FAS, A LLWYD AR Y TU FEWN? ELIFFANT YN CUDDIO MEWN BANANA.

Sut wyt ti'n ffitio eliffant mewn i focs matsys? Tynnu'r matsys allan yn gyntaf.

Pa amser yw hi pan mae eliffant yn eistedd ar eich car?
Amser prynu car newydd!

Sut wnaeth yr eliffant amyneddgar ddringo'r goeden?
Sefyll ar fesen ac aros iddi dyfu.

Sut ydych chi'n gwneud brechdan eliffant?
Wel, yn gyntaf, ffeindiwch dorth fawr iawn...

Byd y bêl

Hyfforddwr: Dim ond dau beth sy'n dy rwystro di rhag bod yn chwaraewr pêl-droed ardderchog… Dy droed chwith a dy droed dde!

Beth ydych chi'n galw chwaraewr pêl-droed crwn sy'n chwarae i Real Madrid? Gareth Bêl!

Capten: Pam na wnest ti arbed y siot yna?
Gôl-geidwad: O'n i'n meddwl taw dyna beth oedd pwrpas rhwyd!

BETH OEDD ENW'R CHWARAEWR PÊL-DROED O BORTIWGAL NATH DDIM CWEIT CYRRAEDD Y BRIG?

BRON-ALDO!

Pa dîm pêl-droed sy'n debyg i sgwâr ond yn hirach?

Pet-Real Madrid!

Sut oedd y gôl-geidwad yn gyfoethog iawn?

Achos roedd e'n gallu arbed yn dda!

Gwersi gwirion

Miss! Sut mae sillafu Ruffudd?
Nag wyt ti’n meddwl ‘Gruffudd?
Na, Miss. Dwi wedi sgwennu’r
G yn barod.

Athro: Enwch ddeg anifail o Affrica.
Disgybl: Naw eliffant ac un llew.

Athro: Os wyt ti’n adio 20,583 a 43,310 a wedyn rhannu â 97, beth gei di?
Plentyn: Yr ateb anghywir!

Mam: Wnest ti fwynhau'r trip ysgol?
Plentyn: Do, ac rydyn ni'n mynd eto fory.
Mam: Pam?
Plentyn: I edrych am y plant aeth ar goll.

Roedd "Mae'r athro yn dwp" wedi cael ei sgwennu ar y bwrdd gwyn. "Dydw I DDIM eisiau gweld hwnna ar y bwrdd gwyn!" gwaeddodd yr athro. "Sori, syr, do'n i ddim yn gwybod bod hynny'n gyfrinach!"

Athro: Mae hwn yn draethawd da iawn am rywun o dy oed di.

Disgybl: Beth am rywun oed Mam?

Dwy ferch yn siarad yn y coridor:

Merch 1: Mae'r bachgen yna yn fy ypsetio i.

Merch 2: Ond dyw e ddim hyd yn oed yn edrych arnat ti.

Merch 1: Dyna beth sy'n fy ypsetio i!

NAM AR Y CAMERA

Mae ’nghamera i ’di torri,
Mae ’na nam ar bob un llun.
Dwi ’di cymryd *loads* o ’ngwyneb i
A dwi’n edrych yn hyll ymhob un.

Mae ’nghamera i ’di torri,
Dyw ’nghroen i ddim mor wyn!
Dyw ’nhrwyn i ddim mor enfawr, siawns,
Na ’ngên mor dew â hyn?

Mae ’nghamera i ’di torri.
Y lens? Y fflash? Neu’r cwbwl lot?
Mae’r lluniau yma’n erchyll
A go iawn dwi’n eitha *hot*.

Mae ’nghamera i ’di torri,
Wna i brofi’r ffaith hon – ty’d!
Edrycha fan’na... o, mam fach...
Mae’r drych ’di torri ’fyd!

Trwbl teuluol

Tad: Wyt ti eisiau cyfrifiannell poced fel anrheg Nadolig?

Mab: Dim diolch, dwi'n gwbod faint o bocedi sydd gen i.

Mam: Pam wyt ti'n crio, Mali?

Mali: Mae Ffion wedi torri fy noli.

Mam: Sut wnaeth hi hynny?

Mali: Wnes i ei tharo hi ar ei phen gyda'r ddoli.

Tiwniwr piano: Dwi wedi dod i diwnio eich piano.
Ond wnaethon ni ddim gofyn am hynny.
Na – ond mi wnaeth y bobol drws nesaf!

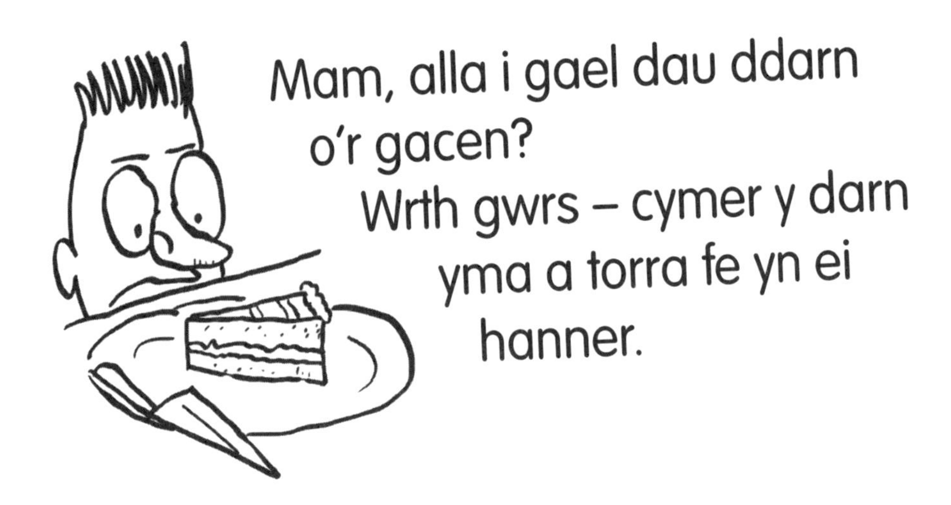

Mam, alla i gael dau ddarn o'r gacen?
Wrth gwrs – cymer y darn yma a torra fe yn ei hanner.

Anti Glenys: Ti'n dawel iawn, Gari.
Gari: Wel, rhoddodd Mam bum deg ceiniog i fi i beidio dweud gair am dy glustiau mawr.

Ydy dy ŵr di wastad yn chwyrnu?
Na. Dim ond pan mae e'n cysgu.

DWI'N GALW FY NGWRAIG I'N EIRIN.
ACHOS EI BOD HI'N FELYS?
NA – ACHOS MAE GANDDI HI GALON FEL CARREG!

Dyn 1: Dywedodd fy ngwraig os nad ydw i'n stopio chwarae XBox bydd hi'n fy ngadael i.
Dyn 2: Mae hynna'n greulon.
Dyn 1: Ydy, fe wna i ei cholli hi.

Mae Dad mor wael am goginio, mae e'n llosgi salad!

Mam, Mam, mae'r plant yn dweud 'mod i'n edrych fel arth.
Ust nawr, cariad, a brwsia dy wyneb.

Mab: Dwi eisiau gyrru bws pan dwi'n hŷn.
Tad: Wel, wna i ddim sefyll yn dy ffordd di.

Mae Mam yn siarad gymaint, mae'n gorfod rhoi eli haul ar ei thafod pan fyddwn ni'n mynd ar ein gwyliau!

Dwi wedi colli fy nghof!
Ers pryd mae hyn wedi digwydd?
Ers pryd mae beth wedi digwydd?

Oes gen ti dyllau yn dy drôns?
Na!
Wel, sut wyt ti'n ffitio dy goesau
trwyddyn nhw 'te?

Brawd: Wnes i grasio
fy meic mewn i wal.
Chwaer: O na!
Oedd y wal yn iawn?

Beth wnei di pan fyddi di
mor fawr â dy dad?
Mynd ar ddeiet!

Dad, ydy pobol drws nesa yn dlawd iawn?
Na, pam wyt ti'n gofyn hynny?
Wel, roedd 'na ffŷs ofnadwy
pan lyncodd y babi geiniog!

Y LLYFRGELL HANNER CALL 2

Llun, Mawrth, Mercher, Iau, Gwener, Sadwrn a Sul

gan

Bob Dydd

NID WY'N GOFYN BYWYD MOETHUS

Carl N. Lân

Jôcs yn y jyngl!

Beth sy'n gwneud mwy o sŵn na gorila blin?
Dau gorila blin.

Beth sy'n ddu a gwyn
ac yn swnllyd iawn?
Sebra'n chwarae drymiau.

Sut ydych chi'n cael
gorila mewn i focs o
matsys?
Gofynnwch yn
gwrtais iawn.

Beth wyt ti'n
galw llew brwnt?
SimBAW.

Beth oedd y sebra'n
neud ar y drafffordd?
Tua 30 milltir yr awr!

Pam mae gan y jiraff
wddf mor hir?
Oherwydd mae ei ben
mor bell o'i gorff!

Beth yw hoff gêm neidr?
Ysgolion a Nadredd.

Dyn 1: Mae neidr wedi
brathu fy mraich!
Dyn 2: Pa un?
Dyn 1: Dim syniad – ma pob
neidr yn edrych yr un fath i fi!

Beth yw hoff
ddawns neidr?
Y Mamba!

'Nôl at Mr a Mrs Hoffus

Mr: Dwi'n mynd i daro Gareth – dwedodd e 'mod i'n dwp a hyll.

Mrs: Anwybydda fe – dim ond ailadrodd be ma pawb arall yn dweud mae e.

Mrs: O, mae gen ti rywbeth mawr, blewog, hyll yn tyfu o dy wddf!

Mr: O na! Ble? Beth yw e?

Mrs: Dy ben!

Mr: Mae gen ti fwlch mor fawr rhwng dy ddannedd ti'n gallu bwyta afal trwy raced dennis.

Mrs: Ti mor hyll, ti'n gallu creu iogwrt wrth syllu ar wydraid o laeth am hanner awr.

Mr: Mae dy ddannedd yn sticio mas cymaint, mae'n edrych fel petai dy drwyn di'n chwarae'r piano.

Mrs: Rwyt ti'n hyll ofnadwy.

Mr: Wel, rwyt ti'n eitha olygus...
fel pen-ôl gorila!

Beth ... ?

Beth sy'n binc ac yn beryglus?
Mwydyn gyda gwn!

Beth yw'r arf mwyaf ych-a-fi?
Pw a saeth!

Beth yw hoff ddiwrnod artistiaid?
Dydd Llun!

Beth sy'n flewog ac yn tisian?
Cneuen goco gydag annwyd.

Beth wyt ti'n galw peiriant sy'n
hedfan 'nôl a mlaen i Loegr?
Hafren-nydd.

Beth wyt ti'n galw
cerdd flewog?
Barfoniaeth.

Beth oedd hoff iaith
Albert Einstein?
Gwyddon-iaeth!

BETH MAE DYNION TÂN YN TRAFOD YN YSTOD AMSER EGWYL?
PYNCIAU LLOSG Y DYDD!

Beth wyt ti'n galw pobol gyffredin sydd ar-lein?
Y we-rin.

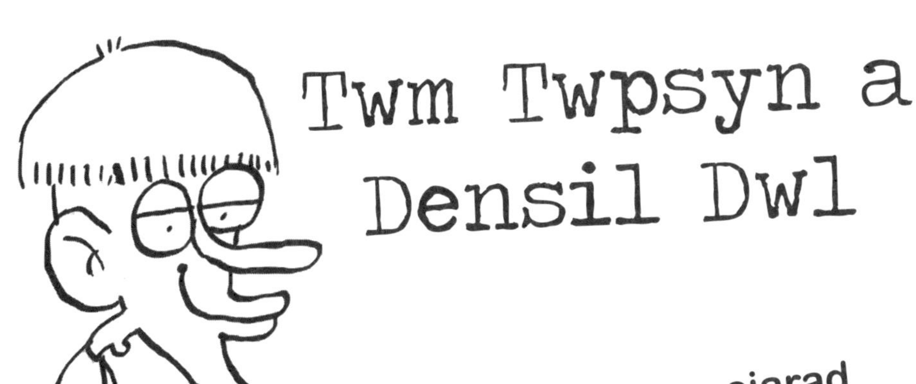

Twm Twpsyn a Densil Dwl

Ymwelydd i'r pentre yn siarad â Twm Twpsyn: Wyt ti wedi byw yma ar hyd dy oes?
Twm Twpsyn: Dim eto!

Pam daflodd Densil Dwl ei gitâr i'r bin?
Roedd twll yn y canol!

Twm Twpsyn: Dihunais i bore 'ma ac agor y drws yn fy mhajamas.
Densil Dwl: Dyna lle rhyfedd i gael drws!

Sut wyt ti'n gwneud i Twm Twpsyn losgi ei glust?
Ffonia fe pan mae e'n smwddio!

Beth wnaeth Densil Dwl pan hedfanodd pryfyn i mewn i'w glust?
Ei saethu fe!

Cwestiynau pwysig iawn!

Ai dim ond llyfrau drwg sy'n cael eu cadw mewn llyfr-gell?

A gafodd y person wnaeth ddarganfod trydan sioc?

Be sy'n llawn tyllau ond yn dal dŵr?

Sbwng!

Pa law ddylet ti ddefnyddio wrth droi te?

Dim un – defnyddia lwy!

BETH MAE'R CANHWYLLAU'N GWNEUD AR EU GWYLIAU?

GWÊRSYLLA!

Beth ddywedodd Eira Wen pan gwrddodd hi â'r saith corrach?

Bobol bach!

Beth oedd enwau'r
pâr oedd yn hoff o
ganu'r wyddor?
Alff a Bet.

Pa ddarn o'r corff
sydd yn sgwennu'n
gywir?
Y sill-afu!

Pa feic modur sy'n chwerthin?

Yamaha-ha-ha!

Sut gafodd Nain sioc drydan wrth baratoi bara brith?

Aeth cyrens trwyddi!

Ble brynodd y pysgotwr ei wialen?
Ar y rhyng-rwyd!

Ble ydy'r lle gorau i ffeindio diamwntiau?

Mewn pac o gardiau.

Bwyd

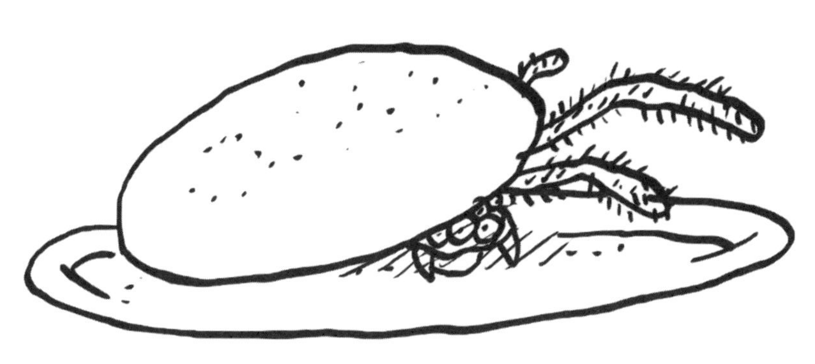

Gweinyddwr! Mae cleren yn fy nghawl!
Peidiwch â phoeni, syr, bydd y pry
copyn sydd dan y bara yn ei fwyta!

Sut wyt ti'n gwybod dy
fod wedi bwyta
gormod o gornfflêcs?
Ti'n mynd yn
soggy yn y bath.

Pa fwyd mae
Bwdist yn ei hoffi?
Ommmmmm-let.

Beth oedd ar
ben y tŷ salad?
Toma-TO.

Pam wnaeth y ffarmwr aredig ei gae gyda stêm-roler?
Roedd e am dyfu tatws stwnsh.

Beth sy'n wyrdd,
yn iachus ac yn
hoffi syrffio?
Broc-oli môr!

Aeth Dai a Daf i'r bwyty, a thynnu brechdanau o'u bagiau.
"Hei!" gwaeddodd y perchennog. "Dydych chi ddim yn cael bwyta bwyd eich hunan yn y bwyty!"
"Iawn," dywedodd Dai a Daf, a swopio'u brechdanau!

RYGBÏO!
Bachwr
ARRR!
Prop Pen Rhydd
Y Pac

Wythwr
Gôl Adlam
Prop Pen Tyn

Y LLYFRGELL HANNER CALL

3

PENFELEN NATURIOL!

Deio N. Wallt

Bronnau Anghyfforddus

Bran Rhydynn

Dwli doctor

Claf: Doctor, dwi methu stopio dwyn pethau. Beth wna i?
Doctor: Wel, mae angen teledu newydd arna i…

Doctor! Dim ond 50 eiliad sy gen i i fyw!
Aros funud…

Sut gest ti'r llygad ddu yna?
Ti'n gweld y postyn yna?
Ydw.
Wel, wnes i ddim!

Doctor: Newyddion drwg, mae'n ddrwg gen i. Dim ond deg sy gyda ti ar ôl i fyw.

Deg mlynedd?

Na, naw... wyth... saith...

Beth ddyle modryb sâl gymryd i wella?
Anti-biotics!

Doctor: Wnaethoch chi yfed y moddion ar ôl y bath, Mrs Jones?
Mrs. Jones: Na, Doctor. Erbyn imi orffen yfed y bath ro'n i'n rhy llawn am y moddion.

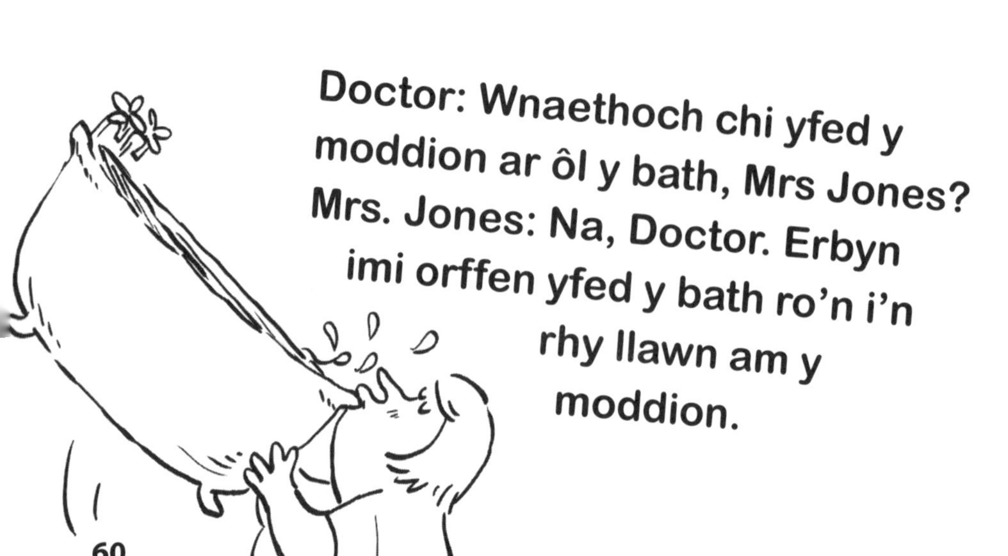

Cŵn

Tom: Mae fy nghi yn chwarae gwyddbwyll.
Twm: Anhygoel! Mae'n rhaid ei fod e'n glyfar iawn.
Tom: Na – dwi'n ei guro bron bob tro!

Cadwch y ci yna allan o fy ngardd! Mae'n gwynto'n afiach!
Peidiwch â phoeni, dyw'r ci ddim yn meindio gerddi sy'n gwynto'n afiach.

Mae fy nghi yn niwsans – mae'n rhedeg ar ôl pawb ar feic. Beth wna i?
Cymera ei feic wrtho fe!

Beth yw'r ffordd orau i atal haint ar ôl brathiad ci?
Peidio brathu cŵn!

Cerddi dwl

Siaradais â merch o Dre'r-ddôl
Oedd yn poeni am faint ei phen-ôl.
Dywedais "Nawr, nawr,
Eistedda di lawr,
Er dwi'n meddwl bydd angen dwy stôl."

Ga'th Dad adwaith rhyfedd i'r ffliw –
Aeth ei glustiau yn dew, ar fy myw!
A nawr maen nhw'n pwyso
Deg stôn a tri owns, *so*
Mae'n wir dweud bod e'n drwm ei glyw!

Pysgotwr oedd Bobi, fe a'th
I ddal pysgod arbennig, bob math.
Ond â *fly* nac abwyd,
Daeth dim byd i'w rwyd.
Y wers: paid pysgota'n y bath!

Dwi'n nabod merch o Bontypridd
Sy'n chwarae Lego trwy bob dydd.
So fe'n broblem i'w gŵr hi, Sid.
Mae e wedi ei wneud o Lego 'fyd!

Hoffus o hyd

Mrs: Ti'n un da iawn ar gyfer iechyd pobol. Pan maen nhw'n dy weld di'n dod, maen nhw'n mynd am dro hir y ffordd arall!

Mrs: Dwi'n treulio oriau o flaen y drych yn edmygu fy mhrydferthwch. Ydw i'n berson balch?

Mr: Na, person llawn dychymyg!

Mr: Dwi wedi newid fy meddwl.
Mrs: Hen bryd – roedd yr hen un ddim gwerth o gwbwl!
Mr: Pa mor hir sy'n bosib byw heb ymennydd?
Mrs: Dwi ddim yn siŵr – beth yw dy oed di?
Mrs: Dwi'n hoffi dy dei Pasg.
Mr: Pam tei Pasg?
Mrs: Mae 'na wy arno fe!

Be gei di...?

BE GEI DI OS WYT TI'N CROESI ATHRAWES A RHEINO?

DWI DDIM YN GWYBOD, OND WELL I TI NEUD DY WAITH CARTREF RHAG OFN!

Be gei di os wyt ti'n croesi buwch a camel?

Ysgytlaeth lympiog!

Be gei di os wyt ti'n
croesi arth a changarŵ?
Cot ffwr gyda phocedi mawr!

Be gei di os wyt ti'n croesi tun o
baent a deinameit?
Lot o waith glanhau!

Be gei di os wyt ti'n croesi rhifau a swigod?
Bathemateg!

Be gei di os wyt ti'n croesi
cyw iâr ac octopws?
Cinio dydd Sul
ac mae 'na goes i bawb!

DARTH NEIDR

OBI WAN KENOBI

HAM SOLO

LLEWBACCA

BOBA
HET
STADIWM Y
MILENIWM
FALCON
Esgusodwch
fi!
EMPEROR
PWMP-Y-TIN
PRINCESS
LLEIA

Y LLYFRGELL HANNER CALL 4

ENNILL!
gan
Buddug O'Liaeth

Y DRAFFT
Cai R. Droose

DRAFFT O HYD
Caio N. Dynn

Reslo Mewn Jeli
Andras O'Hwyl

Mwy o wersi gwirion

Roedd Gari ar drip ysgol i astudio natur yn y goedwig.

"Syr, beth wyt ti'n galw creadur gyda deg coes, smotiau coch a dannedd mawr miniog?" gofynnodd Gari.

"Dim syniad, pam wyt ti'n gofyn?" atebodd yr athro.

"Achos mae un yn dringo dy goes, syr!"

MAE GAN EIN HATHRAWES NI WALLT HIR, DU LAWR EI CHEFN.

BITI NAD YW E'N TYFU AR EI PHEN...

Athro: Bili! Chlywest ti ddim fi'n dy alw di?

Bili: Do, Miss, ond wedoch chi ddoe nad ydyn ni fod i ateb 'nôl.

Roedd athro twp yn astudio ffenest oedd wedi torri. Ar ôl edrych am ychydig, dywedodd, "Mae'n waeth nag o'n i wedi meddwl. Mae wedi torri ar y ddwy ochr."

Athro: Mae dy waith cartref yn edrych fel petai mewn llawysgrifen dy dad.
Gareth: Wel, defnyddies i ei bensil e!

Athro: Byddwn i'n hoffi mynd am ddiwrnod cyfan heb rhoi stŵr i ti.
Plentyn: Popeth yn iawn gen i, syr!

Athro: Pam wnest ti roi'r broga ym mag Ceri?
Bachgen: Achos o'n i'n methu ffindo llygoden.

Athro: Os oes gen ti ddeg punt mewn un poced, a deg punt mewn poced arall, beth sydd gen ti?
Bachgen: Trowsus rhywun arall, syr!

Ar daith...

Pa ddinas yn America
sydd orau am ddawnsio?
San Fran-Disco!

Beth yw'r dref fwyaf
swnllyd yng Nghymru?
BANGor!

Ble mae'r fampir yn byw?

Beddau!

Ble ei di os nad
wyt ti eisiau
smocio?
Sain Ffag-an!

Sgyrsiau sili

Barnwr: Wnaeth dy dair wraig gyntaf farw ar ôl bwyta madarch gwenwynig, a nawr mae dy bedwaredd gwraig wedi boddi yn dy bwll nofio. On'd yw hyn i gyd ychydig yn rhyfedd?
Carcharor: Ddim o gwbwl - doedd hi ddim yn hoffi madarch.

Aeth dyn i'r siop fawr yn y dre, a gweld arwydd ar y grisiau symud. 'Rhaid cario cŵn.'

Treuliodd y twpsyn ddwy awr yn ffeindio ci.

Yn ystod pryd posh ym Mhalas Buckingham, dyma un o'r gwesteion yn torri gwynt. Roedd y Tywysog Charles yn gandryll, "Pwy sydd wedi meiddio torri gwynt o flaen y Frenhines!?" "O, sori," atebodd y gwestai. "Ei thro hi oedd e?"

Aeth merch i gaffi ac archebu cacen siocled gyda sos siocled, pump sgwp o hufen iâ siocled a mynydd o hufen.

"Wyt ti eisiau ceirios ar y top?" gofynnodd y weinyddes.

"Dim diolch, dwi ar ddeiet."

Dyn yn y bwtsiwr: Oes gen ti ben dafad?

Bwtsiwr: Na – dyna sut dwi'n neud fy ngwallt.

Roedd dyn ar fin neidio o'r bwrdd plymio uchel i mewn i'r pwll, pan waeddodd rhywun, "Paid â neidio! Does dim dŵr yn y pwll!"

"Mae'n iawn," atebodd y dyn. "Dwi ddim yn gallu nofio!"

Merch 1: Mae fy mrawd yn afiach – mae'n cnoi ei ewinedd.

Merch 2: Dyw hynna ddim yn afiach.

Merch 1: Ydy – mae'n cnoi ewinedd ei draed.

Cnoc a rôl!

Cnoc cnoc!
Pwy sy 'na?
Sue.
Sue pwy?
'Swn i'n caru dod mewn!

Cnoc cnoc!
Pwy sy 'na?
Mai.
Mai pwy?
Mae hen wlad fy nhadau
yn annwyl i mi...

Cnoc cnoc!
Pwy sy ’na?
Syr.
Syr pwy?
SYRPRÉIS!

Cnoc cnoc!
Pwy sy ‘na?
Tina.
Tina pwy?
Ti’n agor y drws neu be?

Cnoc cnoc!
Pwy sy 'na?
Ela.
Ela pwy?
ELAFFANTOD GWYLLT! AAAA!

Cnoc cnoc!
Pwy sy 'na?
Dai.
Dai pwy?
Dainosor! AAAAAA!

Cnoc cnoc!
Pwy sy 'na?
Tirion.
Tirion pwy?
Tirionosaurus Rex! AAAAAA!

Rhywbeth o'i le yn y gweithle...

Sylwodd rheolwr siop ar un o'i weithwyr yn dadlau'n ffyrnig â chwsmer. Wrth iddo fynd draw, gwaeddodd y cwsmer, "DWI BYTH YN DOD 'NÔL I'R SIOP YMA ETO!!" cyn rhedeg allan a chau'r drws gyda chlep.

Trodd y rheolwr at y gweithiwr, "Sawl gwaith sydd rhaid i fi ddweud wrthot ti – y cwsmer sydd wastad yn iawn."

"Iawn, syr," dywedodd y gweithiwr. "Roedd e'n dweud dy fod ti'n dwpsyn moel, hyll!"

Siopwr: Oes Adran Gwynion
yn y siop yma?
Gweithiwr: Nac oes,
y mochyn hyll.

Mae Rhys yn gweithio wyth awr y dydd ac yn cysgu wyth awr y dydd.
Y broblem yw taw'r
un wyth awr ydyn nhw.

Bòs: Pam wnest ti roi'r sac i dy ysgrifenyddes?

Bòs 2: Oherwydd salwch.

Bòs: Roedd hi'n cymryd gormod o ddyddie bant?

Bòs 2: Na, roedd hi'n fy ngwneud i'n sâl!

Pam adawest ti dy swydd?
Oherwydd beth ddywedodd y bòs.
Ddywedodd e rywbeth creulon?
Wel, na.
Beth ddwedodd e 'te?
Ti'n *fired*!

CRICEDIO!

Troellwr

Bowliwr

Padiau Amddiffyn

Pêl Lydan
Coes o Flaen y Wiced
Bowlio dros ysgwydd

AAAAAAAAAAngenfilOD!

Beth yw'r gwahaniaeth rhwng anghenfil a bisged?

Dydych chi ddim yn gallu dyncio anghenfil yn eich te.

Beth wyt ti'n galw anghenfil cwrtais, cyfeillgar, golygus?

Methiant!

Aeth anghenfil i'r optegydd oherwydd roedd e'n cerdded mewn i bethau o hyd.

"Mae angen sbectol arnat ti," dywedodd yr optegydd.

"Fydda i'n gallu darllen gyda nhw?"

"Byddi."

"Grêt! Dwi ddim wedi dysgu darllen eto!"

Anghenfil 1: Dwi'n hoffi plant.
Anghenfil 2: Wyt ti?
Anghenfil 1: Ydw – ar dost gydag ychydig o farmalêd!

Ble wyt ti'n ffeindio ieti?
Dibynnu ble gadawest ti fe.

Fyddi di'n fy ngharu pan
fydda i'n hen, tew a hyll?

Wrth gwrs fy mod i!

Hefyd o'r Lolfa:

£4.95

£4.95

Am restr gyflawn o lyfrau'r Lolfa, mynnwch
gopi am ddim o'n catalog
neu hwyliwch i mewn i'n gwefan

www.ylolfa.com

lle gallwch archebu llyfrau ar-lein.

TALYBONT CEREDIGION CYMRU SY24 5HE
ebost ylolfa@ylolfa.com
gwefan www.ylolfa.com
ffôn 01970 832 304
ffacs 832 782